I David, ffrind arbennig sy'n troi
syniadau syml yn drysorau creadigol!

Red Robin Books is an imprint of Corner To Learn Limited

Cyhoeddwyd gan
Corner To Learn Limited
Willow Cottage • 26 Purton Stoke
Swindon • Wiltshire SN5 4JF • Prydain
www.redrobinbooks.com

ISBN: 978-1-905434-23-7

Testun © Neil Griffiths 2002
Darluniau © Judith Blake 2007

Cyhoeddwyd yn gyntaf yn Saesneg yn y DU yn 2002
Cyhoeddwyd yr argraffiad newydd yn Saesneg yn y DU yn 2007
Cyhoeddwyd yr argraffiad Cymraeg hwn yn gyntaf yn y DU yn 2008

Mae hawl Neil Griffiths i gael ei gydnabod fel awdur y gwaith hwn
wedi'i nodi ganddo yn unol â Deddf Hawlfraint, Dyluniadau a Phatentau 1988.

Addasiad Cymraeg gan
Rhian Gwyn

Cynllun gan
David Rose

Argraffwyd gan
Printworks International Ltd.

Arth
Goslyd

Neil Griffiths

Darluniau gan **Judith Blake**

Roedd Arth wrthi'n mwynhau cwsg hir a braf. A dweud y gwir, byddai wedi gallu cysgu trwy'r dydd, ond dechreuodd gosi... ac nid cosfa gyffredin oedd hon.

Dechreuodd rhwng
bodiau ei draed,

ac yna y tu ôl
i'w glustiau,

ac o dan
ei ên,

ac yn fuan roedd yn cosi o'i
gorun i'w sawdl! "Mae'n rhaid i
mi ddod o hyd i rywle i grafu
yn iawn," meddyliodd.

Daeth o hyd i garreg fawr oedd yn berffaith ar gyfer crafu pen ôl arth.

"Wwww, dyna braf," meddyliodd Arth.

"Paid a gwneud hynna!"
gwaeddodd y twrch daear,
gan wthio'i ben i dwmpath
pridd gerllaw.

"Dwi'n brysur yn cloddio yn fan
hyn. Dos i rywle arall i grafu!"

"O diar," meddyliodd Arth.

Yna gwelodd gangen
oedd yn berffaith ar
gyfer crafu y tu ôl i
glustiau Arth.

"Mmmm, hyfryd,"
meddyliodd Arth.

"Esgusoda fi!" sgrechiodd y dylluan frech, gan sbecian o dwll tywyll yn y goeden.

"Dwi'n hoffi cysgu yn ystod y dydd ac mi rwyt ti newydd fy neffro i. Dos i rywle arall i grafu!"

"O diar, diar," meddyliodd Arth.

Yna gwelodd foncyff
oedd yn berffaith ar
gyfer crafu bol arth.

"Aaaa, bendigedig,"
meddyliodd Arth.

"Be sy'n digwydd yn fan hyn?" gwaeddodd
y wiwer o'r tu mewn i'r boncyff gwag.

"Dwi'n trio cyfri fy nghnau yn fan hyn.
Dos i rywle arall i grafu!"

"O diar, diar, diar," meddyliodd Arth.

Yna daeth o hyd i bentwr o frigau oedd yn berffaith ar gyfer crafu rhwng bodiau traed arth.

Ac roedd ar fin dechrau crafu pan...

"Hei, rho'r brigyn yna yn ôl," mynnodd y neidr filtroed fechan.

"Rhan o do ein tŷ ni ydi hwnna. Dos i rywle arall i grafu!"

"O diar, diar, diar, diar!" meddyliodd Arth.

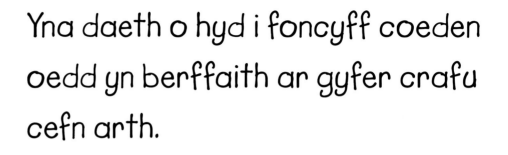

Yna daeth o hyd i foncyff coeden oedd yn berffaith ar gyfer crafu cefn arth.

"Oes rhywun yma?" gofynnodd Arth yn ofalus. Edrychodd Arth o'i gwmpas ymhobman i wneud yn siŵr.

"Da iawn," meddyliodd. "Mi fedra i grafu yn iawn o'r diwedd."

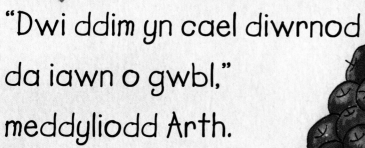

"Dwi ddim yn cael diwrnod da iawn o gwbl," meddyliodd Arth.

Ond roedd y gosfa wedi mynd o'r diwedd
ac roedd yr afalau'n flasus iawn!